ONE IS A SNAIL, TEN IS A CRAB
A Counting by Feet Book

by April Pulley Sayre and Jeff Sayre
illustrated by Randy Cecil

Text copyright © 2003 by April Pulley Sayre and Jeff Sayre
Illustrations copyright © 2003 by Randy Cecil
Japanese translation rights arranged with Walker Books Ltd., London SE11 5HJ
through Japan UNI Agency Inc.,Tokyo.

Printed in China

評論社の児童図書館・絵本の部屋　商標登録番号　第730697号　第947602号　登録許可済　　　　　　　　　ISBN4-566-00776-6
いちは かたつむり、じゅうは かに　A.P.セイヤー／J.セイヤー ぶん　R.セシル え　久山太市 やく　NDC933　34p.　235㎜×270㎜
（〒162-0815）東京都新宿区筑土八幡町2-21　営業03（3260）9409　編集03（3260）9406　評論社　　　　http://www.hyoronsha.co.jp
2004年4月5日初版発行

いちは かたつむり、
じゅうは かに

おしで かぞえる かずの ほん

エイプリル・プリー・セイヤー／ジェフ・セイヤー ぶん
ランディ・セシル え
久山太市 やく

評論社

1は　かたつむり。

（これが　かたつむりの　あし）

2 は　にんげん。

3 は　にんげんと

かたつむり。

5は　いぬと　かたつむり。

6 は　こんちゅう。

7は　こんちゅうと　かたつむり。

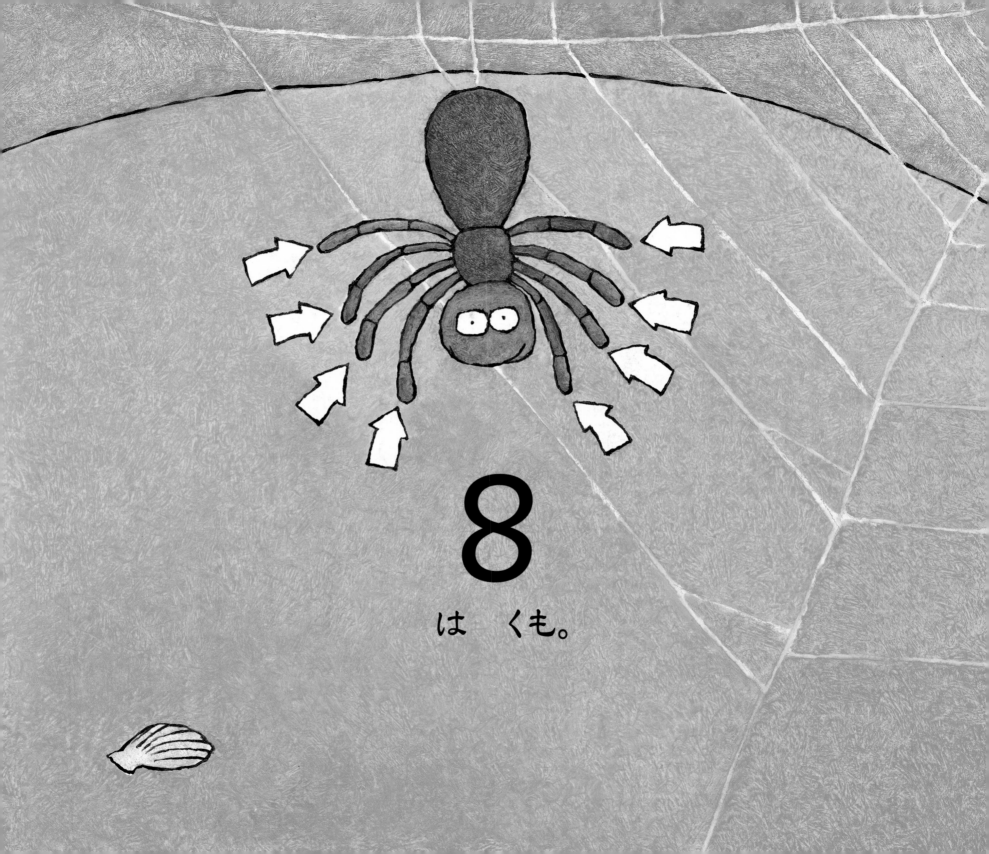

8

は　くも。

9は　くもと　かたつむり。

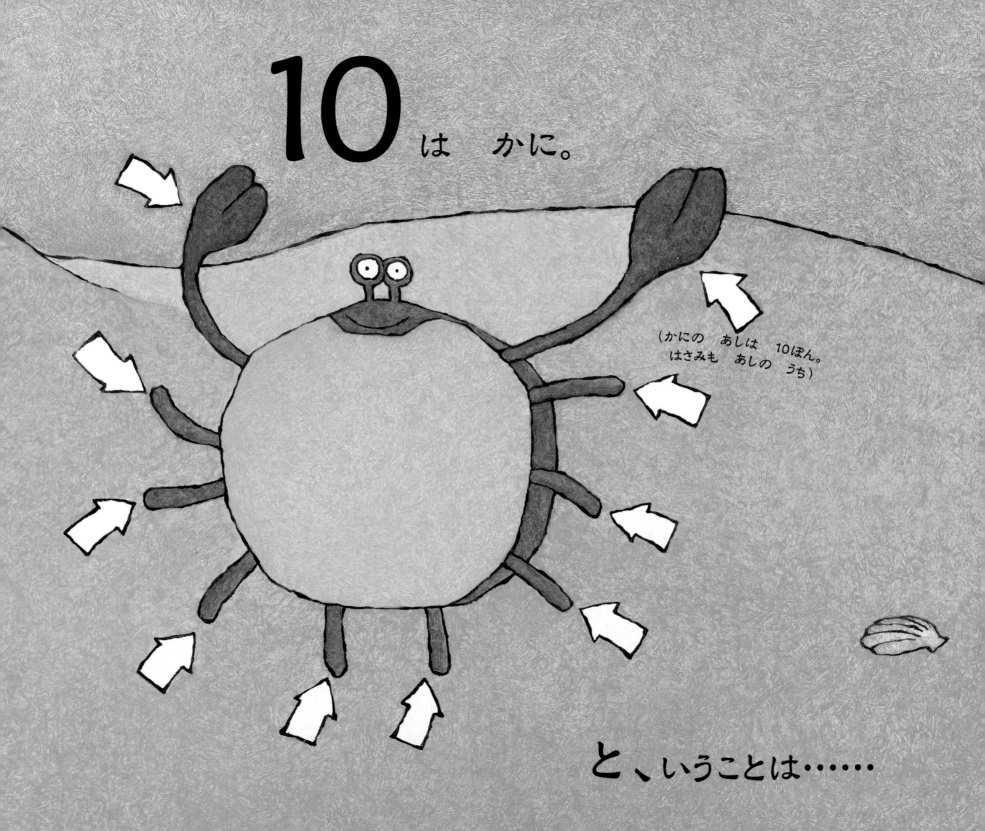

20 は　かにが　にひき。

30 は　かにが　さんびき……

か、 にんげん じゅうにんと かに いっぴき。

40 は かにが よんひき……

かいぬが　じっぴき。

50 は　かに　ごひき……

かいぬ　じっぴきと
かに
いっぴき。

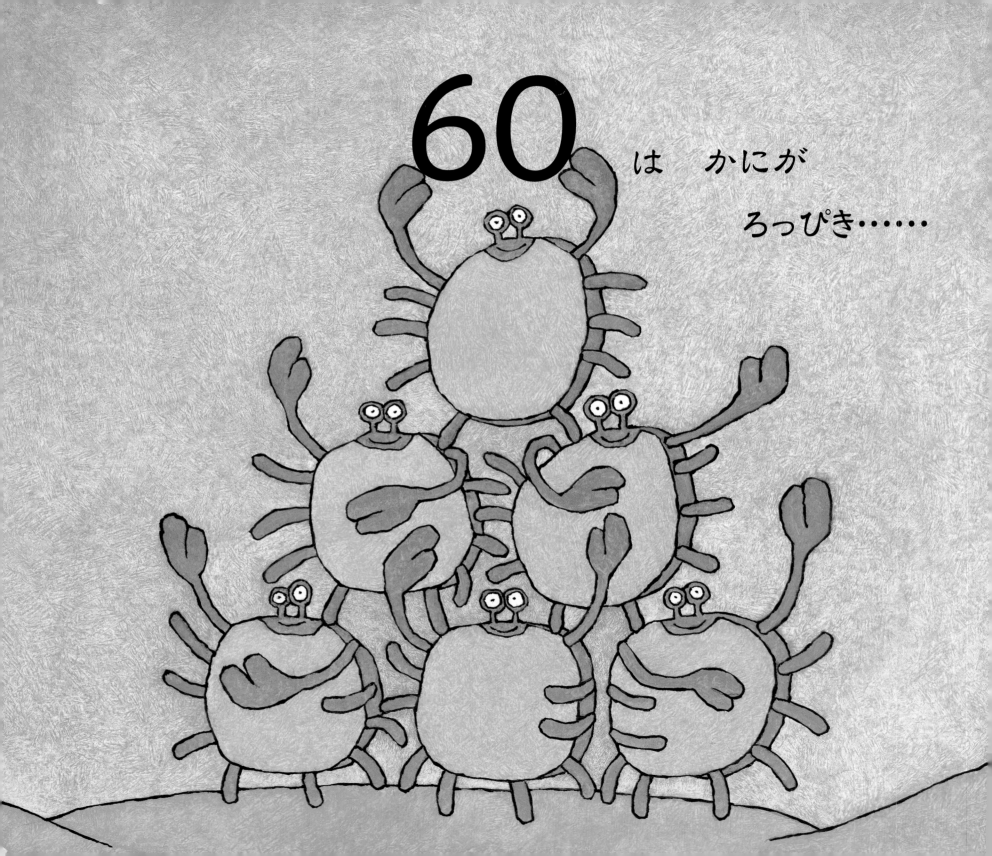

60 は　かにが

ろっぴき……

か、こんちゅう　じっぴき。

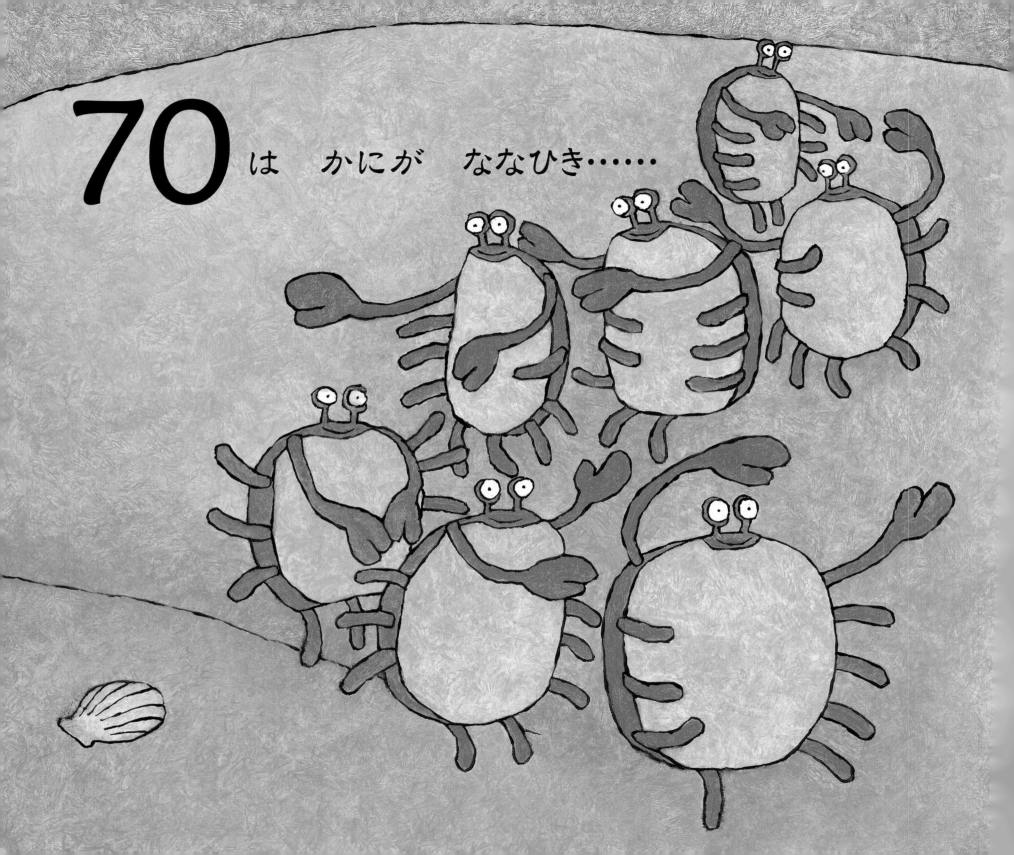

か、

こんちゅう　じっぴきと
かに　いっぴき。

80
は　かにが　はっぴき……

か、くも　じっぴき。

90 は　かに　きゅうひき……

か、
くも　じっぴきと　かに　いっぴき。

だから、
100 は

かに　じっぴき……

か、ゆっくり　ちゃんと　かぞえてみれば……

ほーら

かたつむり　ひゃっぴきだよ!